KB178093

육아휴직, 세 번 해봤어요

육아휴직
세 번
해봤어요

란마 지음

목차

프롤로그

나에게 있어 육아휴직의 필요성을 느끼게 해준 사건은 대학생 인턴시절로 거슬러 올라간다. 대학교 졸업을 앞두고 외국계 기업에서 2개월간 인턴을 했었다. 강남의 뱅뱅사거리에 위치한 사무실, 서울의 중심에서 일하는 커리어 우먼을 상상하며 프로젝트 팀에 배정받아 첫 출근을 했다. 예상과는 달리 팀장님은 남자가 아닌 짧은 숏 컷을 한 카리스마 넘치는 여자였고, 팀장님 오른쪽 눈은 빨간 핏줄이 터져 있어 처음엔 무서울 지경이었다. 몇 주가 지나보니 눈에 핏줄이 왜 터졌는지 이해가 되었다. 고객사와의 끊임없는 미팅과 팀원들과의 회의로 바쁜 와중에 초등학생 아들이 하교할 시간이 되면 틈을 내 전화통화를 하는 팀장님이셨다. 좌석배치가 서로 마주보는 식이였기에 통화내용은 자연스럽게 들렸다.

"아들 학교 마쳤어? 학원에 이제 가면 돼~ 그래그래 끊어"

취업을 하기 전이라, 직업 선택 시 '직무'가 최우선이라고 생각하던 사고회로는, 인턴이 끝나고는 여자로써 출산 후에도 근무를 이어갈 수 있는 직업을 물색하게 되었다. 그러다 보니 육아휴직을 안정적으로 쓸 수 있는 직업이 무엇일까 찾아보게 되었고, 은행원이라는 직업이 사기업 중에서도 육아휴직 제도가 정착이 잘 되어 있다는 걸 알게 되었다.

운 좋게도 금융권에 취업을 하고, 결혼을 하여 두 아이의 엄마가 되어 육아휴직을 총 3번을 겪었다.

첫 번째 육아휴직은 첫째의 출산과 육아를 위해
두 번째 육아휴직은 둘째의 출산과 두 아이 육아를 위해
세 번째 육아휴직은 첫째의 초등학교 1학년 적응을 위해 썼다.

육아휴직자는 제3의 영역이라고 생각된다. 아이들에겐 엄마이지만, 당사자인 나는 복직이 예정된 직장인이고 휴직기간동안 소득은 없으니 일시적 백수이기 때문이다. 돈과 시간이 정확이 대체되어 시간은 늘었지만 소득은 사라져버려 상실감도 동반되지만, 아이들이 잘 자라는 것을 보면 돈이 대수랴 라는 생각이 들기도 하

는 복잡 미묘한 육아휴직자이다.

세 번의 휴직기간을 거치다 보니 자연스럽게 한정적인 휴직기간을 어떻게 하면 유의미하고 뿌듯하게 보낼 수 있는지를 고민했었고, 육아휴직의 시간을 아이를 키우는 '육아(育兒)'에서 부모도 성장하는 육아(育我)로 확장 한다면 더욱 값진 시간이 될 것이라는 생각이 들었다.

이 책은 내가 휴직기간동안 경험하고 느낀 것에 대한 이야기이다. 양육에 대한 이야기보다는 엄마의 배움에 대한 이야기가 더 많다. 아이를 양육하기에도 바쁘지만 조그만 노력하면 나의 삶에 있어 다양성을 확장할 수 있는 계기가 되는 것도 휴직기간에 가능한 일이다.

'복직을 한다면 내가 새벽요가를 매일 나갈 수 있을까?'

근무 중의 나와 휴직중의 나를 구분시켜 휴직기간을 알차게 보내는 엄마(아빠)들이 많아지길 바래본다.

제1화 첫 번째 육아휴직

육아휴직하면 좋을 줄 만 알았지

휴직이나 휴가이라는 단어는 직장인들 모두가 좋아하는 단어가 아닐까? 특히나 입사 6년차 대리로 한창 일을 많이 하던 시기라 휴직만 들어가면 행복할 줄만 알았다.

2016년 1월에 휴직을 시작하고 5월에 출산을 하기 전까지는 평소에 배우고 싶었던 것들을 시도하면서 태교라고 여기고 바쁜 날을 보냈다. 공방에서 재봉틀배우기, 문화센터에서 태교 꽃꽂이 해보기, 임산부 요가수업 등 만삭의 몸에도 '일을 안 해서 행복해요!'라는 에너지로 출산 일주일전에는 스페인어 시험인 FLEX를 응시할 정도로 즐겁게 보냈다.

'육아'라는 글자보다 '휴직'이라는 글자에 무게를 두었던 그때의 나는

'휴직기간 동안은 일을 안 해도 되고, 편히 쉴 수 있겠군!' 하며 신나기만 했었다. 이런 룰루랄라 기분이 태교에 도움이 되었으면 다행이었겠지만, 아이를 키우는 것이 어떤 희생이 수반되는지는 현실을 몰라도 한참 몰랐다. 친한 회사 선배 J언니가 '난 육아가 적성에 안 맞아, 우울증 걸릴 뻔 했다니까?' 라는 말을 그 당시에는 도무지 이해하지 못하던 때였다.

출산 후 조리원 퇴소와 동시에 많은 변화가 닥쳤다. 출근만 안했다는 것뿐이지 나는 쉬지 못하고 계속 뭔가를 하고 있었다. '회사일' 을 안한다는 것이었지 대신 '집안일' 을 하고 있었다.

해야 할 것들을 하루 종일하며 110동 1602호 25평 집안에서 쉬지를 못하고 있었다. 컴퓨터 타자기를 치던 그 손은 이제 젖병을 씻은 뒤 아기 옷을 널어야 했으며, 팀장님께 업무 보고하던 그 직원은 이제 자기가 낳은 아이에게 책을 읽어주고 노래를 부르며 하루를 보내야 했다.

해가 질 무렵 창문을 통해 보이는 노을을 보며 '벌써 하루가 다갔네..'라며 혼자 허무해지는 순간들이 있었다.

아이를 보느라 집에만 있고 밖에 나가지도 않은 날에도, 하루는 또 지나가고 밤이 찾아오는 것이었다. 아이를 안아 재우며 저 멀리 석양을 보며 텅 빈 눈동자를 하고 있었던 그 기분은 아직 잊혀 지지가 않는다.(그 신혼집이 유독 석양뷰가 탁 트여있어서 생각에 잠기기 딱 좋았다)

우주 어딘가에 떨어져 있는 것처럼, 남편이 오기 전까지는 온종일 아이와 나 둘이서 지내는 것이 이리도 힘들 줄이야. 회사만 가지 않으면 행복할 거라고 생각했던 나는 얼마나 단순하고 무지했던 걸까? 첫 육아휴직을 준비하는 예비엄마는 이러한 현실에 대해 미리 마음의 준비가 되어 있다면 현실을 받아들이는데 괴리감이 적어질 것 같다.

첫째 출산을 위해 사용한 첫 육아휴직 기간은 총 2년이였다. 꽤 긴 기간 이였지만 첫 육아휴직 2년 동안은 육아에만 시간을 다 쏟았던 것 같다. 그래야만 되는 줄

알았다. 나는 육아휴직을 썼으니 육아만 하고 다시 회사에 돌아가야겠다는 생각만 했다.

복직 전에 어린이집 적응을 시키려고 했더니 아이는 첫 등원 다음날부터 열이 펄펄 났으며, 남편은 아이가 돌이 지난지 얼마 안되 타지역으로 발령이나 합숙소 생활을 했었고 나는 잠시 운동을 시도해 보려고 헬스장에도 등록했지만, 이틀을 연달아 간 뒤로는 몸살이 나서 그마저도 제대로 하지 못 했다. 그렇게 첫 번째 육아휴직은 복직기간이 끝나고 '워킹맘'이라는 수식어를 추가하며 복직했다.

육아가 안 맞는 사람도 있나요?

"그대가 원해서 임신과 출산을 했으면서 왜 그리도 육아를 힘들어 하시오?"라고 생각하는 사람도 있을 것 같다. 그에 대한 대답을 고민 해봤다. 꽤 독립적으로 유년기를 보냈던 내가 하나의 생명을 책임지며 내 몸과 시간을 마음대로 쓸 수 없게 되었다는 점이 육아초창기엔 적응이 안 되는 부분이었다.

카페에서 갓 내린 커피를 마시고 싶은 날이 있었다.

'오전에 이유식을 만들어서 먹이고 커피 사러 가야지!'라고 마음먹었다가 아이가 잠이 들어서 그사이 빨래를 하고 아이가 깨어나서 책을 읽어주고는, 날씨가 추운 겨울이라 유모차타고 카페에 가려고 옷을 입히니 옷을 안 입으려도 기어서 도망가는 아이.. 그런 날엔 그냥 주방 찬장에 있는 믹스커피 두 봉지를 뜯어 뜨거운 물에 진하게 태워먹고는 아메리카노를 포기한 날도 있었으니, '카페에서 제조된 커피'를 먹고 싶은 나의 욕구는 아이와 함께 함으로써 포기해야 했다.(첫째 아이때는 코로나 이전이라 커피배달이 흔치 않았다)

게다가 나는 독립성이 짙은 편이다. 누구에게 부담을 주는 것이 싫고 도움을 받는 것도 잘 안하려고 하는 편이다. 이런 지독한 독립성도 육아의 어려움에 한 몫 한 것 같다. 독립적이고 목표지향적인 나는 마음먹은 것이 있으면 달성하려고 무진장 애를 쓰는 타입인데, 육아는 내가 노력한다고 해서 결과가 엄청 좋고 그런 것이 아니다. 일주일 한 달 사이에는 아이가 자라지만, 아이와 쭉 붙어있는 엄마 입장에서는 매일매일이 똑같이 느껴지기 때문이다.

나의 독립성이 형성된 배경을 고민해봤더니, 공교롭게도 엄마의 역할과 선택이 정말 컸다는 걸 깨닫게 되었다.

10살에 버스 혼자타기를 시작한 것도 엄마의 선택에서 비롯되었다. 부모님은 나의 끼가 다분하는 이유로, 약간의 인생역전을 노리시며 '예쁜 어린이 선발대회'에 내보내셨다(어릴적 아버지가 재봉틀로 가방을 만드시는 일을 하셨는데 그때 공장에서 나오는 실고리를 내가 마이크처럼 잡고는 노래하며 춤을 참 많이 췄다고 한다). 대회당일 나는 장기자랑으로 가수 투투의 1과 2분의 1이라는 곡을 준비를 했는데, 나의 앞 순서의 아이가 그 곡을 부르는 것 아닌가? 본능적으로 똑같이 하면 안 되겠다는 생각이 들었던 나는

"앞의 아이는 노래만 했지만, 저는 노래와 춤을 함께 하겠습니다!" 라고 말하고는 진선미 중에 미(美)를 수상하였고, 그 결과로 그 대회를 주최한 곳에서 운영하는 모델학원에 다니게 되었다. 학원의 거리가 버스로 40분 정도 걸리는 거리였고 휴대폰이 없던 시절이었기에 초반에는 엄마랑 함께 주1회를 가다가, 익숙해지자 혼자 버스를 타고 모델학원을 왕복했다. 매주 수요일 학교가 끝나면 혼자 버스정류장서 탑승해서는 서문시장, 동성로를 거쳐 신천동에 도착할 수 있었다.

엄마의 말에 따르면 내가 "혼자 다닐 수 있어"라고 했다고 한다. 지금 첫째 딸이 9살인데 내년에 혼자 버스로 40분 걸리는 거리를 다니게 할 수 있을까 생각하면 나는 못할 것 같지만, 어쨌든 나의 독립적인 성향은 이때부터 형성되었다고 본다.

그리고 15세 여중생이 혼자 지하철로 8정거장 되는 시내 영어학원을 다니게 된 것도 엄마의 선택에서 비롯되었다. 엄마는 대학생인 사촌오빠가 시내에 있는 영어회화학원을 1년 등록해서 다닌다는 이야기를 큰엄마로부터 들었나보다. 그러더니 14살이던 나를 데리고 가서는 무슨 설명을 듣더니 1년 치를 통 크게 결재하고 나왔다. 교재1권과 테이프2개가 한 세트였고 6세트를 무겁게 들고는 집에 왔던 기억이 선명하다. 첫 수업 날 레벨테스트를 마치고 강의실로 가니 온통 대학생 뿐 이였다. 영어를 중1이 되어 처음 배웠는데 갑자기 원어민과 대학생 언니 오빠들 사이에서 나보고 어떻게 하란 말인지? 처음엔 눈알만 굴리며 한마디도 못하다가, 수업을 듣다보니 언니오빠들도 영어를 그렇게 잘 하는 것 같지 않다고 느껴지는 게 아닌가? 오히려 제일 어리니 잘 못해도 뭐라 할 사람도 없겠다는 생각이 들면서, 학원에서 주는 책과 테이프로 집에서도 공부하면서 9개월 정도를 주2회 혼자 시내에 나가서 수업을 들었다. 보통의 여중생이라고 하면 친구들과 학교인근 학원에 다니며 떡볶이 먹을 때인 것 같은데, 친정엄마가 참으로 독립적인 환경을 조성해 주셨구나 싶다.

이런 유년시절을 보낸 여자아이는 20대가 되어 어떻게 대학생활을 했을까? 독립 그자체인 여대생이 되었다. 캐나다 교환학생시절에는 학기를 끝내고 퀘벡으로 여행을 갔다가 히치하이킹도 했던 적도 있었을 정도니 겁 없이 혼자 여행을 즐기는 성인이 되었고, 캐나다에서 돌아오는 날에도 엄마에게 데리러 와달라고 말했더니 "택시타고 오면되지~"라고 말해주던 강한 나의 어머니이셨다. 취업을 하고나서는 방콕에 배낭하나만 매고 가서는 쿠킹클래스를 들었고 스페인에는 노란 형광색 캐리어를 가져가서는 10일간 혼자 여행하며 와이너리 투어를 스페인어로 듣기도 했다.

이렇게 계획하고 탐험하고 여행하던 사람이, 아이를 낳고나서는 25평에 갇혀 옴짝달싹 못하게 되었으니 더 답답하게 느꼈던 것 같다. 외로움과 고독은 엄마가 되는 과정 중에 필수 요건이라는 걸 첫째가 돌잔치를 할 때가 되자 수용할 수 있게 되었다.

늘 궁금했었다.

'아줌마, 할머니들이 목욕탕이나 시장에 가면 모르는 사람과도 쉽게 대화를 나누고 말을 붙이는가?'

이에 대한 대답은 아이를 키우는 과정 중에 겪는 고독함이라는 관점에서 생각하면 쉽게 이해하게 되는 것 같다.

아이를 키운다는 것은 그 전에는 몰랐던 행복함과 충만함을 준다. 하지만 기존의 생활방식을 유지할 수 없음은 분명하다. 방금 쓴 위의 글을 남편에게 읽어주니 "그건 마치 천동설을 믿다가 지동설이 사실로 밝혀지는 것과 같군!'이라는 말을 내 뱉는다.

내가 중심이었던 세상이, 아이중심으로 바뀌어 가는 점에서 맞는 말 같기도 하다.

제2화 두 번째 육아휴직

복직 1년 6개월 뒤 찾아온 두 번째 휴직

첫째 19개월이 되던 때, 복직을 하며 정신없이 보냈다. 동굴에 지내던 육아맘에서 사회생활을 재개하니 적응이 필요했다. 바쁘게 지내다보니 2018년 1월의 달력은 다음 해의 1월이 되어 있었고, '이제야 정신 좀 차리겠다'는 느낌이 들었다. 그렇게 일도 익숙해지고 좀 살만하다 싶을 때 생리 예정일에 소식이 없어 혹시나 싶어 임신 테스트키트를 샀다. 결과는 예상치 못한 빨간 두 줄을 이였다. 1차로 남편 당황, 2차로 친정 엄마 당황, 3차로 내가 당황스러웠지만 하늘이 준 선물이라고 생각하며 6개월간 대구-구미를 출퇴근 했다.

불러오는 배는 운전대와 날이 갈수록 가까워 졌고, 왜관의 국도를 왕복하며 길가에 핀 들꽃과 햇살에 반짝이는 낙동강 물을 보며 '드라이빙 태교'를 한 셈이었다. 그리고는 무더운 7월, 출산을 한 달여 앞두고 두 번째 육아휴직을 시작했다.

행복한 휴직의 기본 조건, 아이가 아프지 않아야

첫 휴직 때 육아만 했던 이유는 아이의 건강과도 연관이 있다. 비염과 계란 알레르기가 있던 첫째는 코감기가 잦았고, 기침은 밤만 되면 왜 더 심해지고 멎질 않는지... 아이의 기침소리에 자다 깨다가 해 뜨는 아침에 아이를 안고 엉엉 울며 "내가 대신 아플 게 어서나아" 라고 말했고 이틀 뒤엔 정말이지 몸살이 제대로 와서 힘들고 서러워 또 엉엉 울었던 기억이 있다.

아이가 아프면 엄마의 자아실현은 깊은 지하실로 묻어둬야 한다. 그 경험이 때문인지 둘째는 덜 아프면서 자라길 바라는 마음에 모유수유도 더 길게 했고 친정에 들어가 살게 되면서 자연스레 친정엄마가 좋아하는 자연식을 자주 먹게 되었다. 큰 병치레가 없었던 둘째는 현재까지도 빵보다는 떡을 좋아하고, 낫또와 요거트를 선호하며 백미보다는 콩밥의 콩을 먼저 떠먹는 아이다.

돌잔치가 지나면 남편이 발령 나는 기묘함

첫째 때는 돌잔치 두 달 후 남편이 타지로 발령이 났고, 둘째 때는 돌잔치 한 달 후 필리핀으로 발령이 났다. 그때 당시 첫째가 5살 이였으니 영어 노출시키기에도 너무 좋은 시기였고, '주재원의 와이프'라는 장밋빛 미래가 있을까 싶었지만 그때는 2020년으로 코로나로 인해 함께 이동하기에는 위험하다고 판단되어 남편만 먼저 출국을 했다. 이런 독박을 몇 달만 하고 끝나길 바랬지만, 2021년 오미크론이라는 오묘한 변이가 발생되어 나는 그저 독박육아로 멘탈이 탈탈 털리는 상태가 지속되고 있었다. 남편 없는 육아가 15개월에 달했고, 복직하기 2주전에야 남편이 귀국을 했다. 15개월 동안 많은 일이 있었다. 둘째는 아빠를 영상으로만 만났고, 다른 단어는 몰라도 '아빠 삐리삔(필리핀)'은 확실하게 발음할 수 있었다. 남편이 떠나고 한 달 뒤 친정으로 필요한 짐만 챙겨 이사 들어갔다. 친정 엄마가 쓰시던

방이 따뜻하니 아이들과 쓰라고 내어주셨고 거기서 친정 부모님의 도움을 받아 육아를 했다. 일시적 한 부모가 되어보니 주말이 정말 힘들었다. 이따금 남동생네 가족과 어울려 놀고 집에 돌아오면, 친정 부모님은 약속이 있어 밖에 계셨고, 두 아이는 차에서 잠이 들어 한명은 아기띠로 안고, 큰애는 유모차에 태워서는 어두운 지하주차장에서 엘리베이터를 타러 가는 길은, 마치 내 처지인 것 마냥 어둡고 또 어두웠다. 힘들어도 이 상황을 변화 시킬 수 있는 변수도 없었기에, 잠든 아이들을 이불에 눕히고 가슴속의 화의 불씨가 더 커지지 않도록 맥주로 불을 꺼트리는게 내가 할 수 있는 최선이었다.

어쩌면 이런 환경에 있었기 때문에 '내 시간'에 대한 애착이 강화된 것 같다. 아이들이 기관에 가있는 평일 9시~3시는 무조건 나의 시간으로 활용해야겠다는 마음이 이때부터 생겨났다. 그 시간 외에는 육아를 도와줄 남편도 없고, 코로나 시기였기에 아이들과는 집에만 있어야 되기 때문이었다.

취미발레: 황새 따라가다가 가랑이 찢어진다

일 년간 모유수유와 아이 둘 육아로 어깨와 등은 곱등이처럼 변했고 승모근은 귀를 향해 치솟고 있던 어느 겨울날, 동네에 발레학원이 하나가 생겼다. 어느 연예인의 몸매 관리비결을 발레라고 했던 게 생각이 나서 전화문의를 해보니 무료체험 수업이 가능하다고 했다. 체험수업이 없었다면 '발레는 마른사람들이 하는 거겠지?'라고 생각하며 등록하지 않았을 것 같다. 체험수업을 들어가 보니 파스텔톤의 예쁜 발레복을 입고, 발레바를 잡으며 거울을 보며 발레운동을 하는 아주머니수강생들이 대부분이었다. 육아전쟁터인 집에서, 공간이동을 했더니 또 다른 세상이 있다는 걸 알게 되었고 홀린 듯이 1개월 수강권 결재를 하고서는 집에 가서 발레복, 슈즈, 타이즈를 인터넷으로 구매했다. 집에서는 티셔츠에 파자마 바지만 입다가 발레학원에 가서는 예쁜 발레복을 입고 거울을 보며 고상한 클래식 음악에 맞춰서 운동을 한다는 점에서 큰 기대를 하며 첫 수업에 들어갔다.

몸에 근육이 없고 유연하지가 않아서인지, 수업에 다녀와서는 몸살이 와서 이틀간 앓아 누어있어야 했다. 발레는 다른 도구 없이 오롯이 내 몸으로만 운동을 하는 건데도 무척 고강도 운동이다. 지금 당장 서서 오른쪽 다리를 접지 말고 쭉 뻗은 다음 옆으로 들어보시라, 내 다리통이 얼마나 무거운지 느껴지실 텐데, 발레리나들은 이 다리를 어깨 위까지 올린다. 단순한 유연성으로 되는 게 아니고 복부, 등, 어깨, 허벅지 심지어 손끝까지 생각하며 동작을 해야 되는 것이다.

그렇게 두 달 동안 잘 다니던 중에, 강사가 나의 왼쪽 다리를 하늘로 치켜 올려주는데 내 몸 어딘가에서 '뚜두츄지직' 소리가 나는 게 아닌가? 바지가 찢어질 리는 없고 내 허벅지 근육이 찢어지는 소리 였던 것이다! 왼쪽 다리를 내리니 허벅지가 뻐뻐하니 영 이상했다. 왼쪽 다리를 절뚝거리며 발레학원을 걸어 나왔다. 병원에 가보니 내전근, 고관절쪽 근육의 부분파열이라고 진단명을 받았다. 의사 선생님이 '뭐 하시다가?' 라고 물으시는데 건장한 몸을 가진 내가 '발레..요'라고 말을 하기가 스스로도 민망하여 작은 목소리로 대답했던 기억이 선명하다. 뱁새가 황새 따라가다가 가랑이 찢어진다는 속담이 있는데, 말 그대로 가랑이가 찢어진 셈이었다. 사람이 안하던 짓을 하니까 별일이 다 생긴다는 생각이 들다가도, 한번 해 보는 게 어디야? 라는 생각도 들어서 발레를 배운 것은 잘 했다고 생각한다. 발레를 계기로 완전 못할 것 같은 것도 툭 한번 해보는 버릇이 생기기도 했다. 연말에 발레공연이 있을 때면 딸아이와 같이 발레리나를 보며 공연 내내 입을 못 다물고 보다가 공연장에서 나오곤 한다. 나는 아직도 발레리나들은 사실은 다른 행성에서 온 외계인이 아닐까? 하는 자기합리화가 더해진 엉뚱한 상상을 하며 혼자 웃곤 한다.

크로스핏은 육아스트레스 대방출의 시간

동네를 걷다 보니 크로스핏 간판이 보였다. 문의를 해보니 무료 체험하러 일단 와보시라고 한다. 마트 시식코너에서 만두 한 입 먹고 쇼핑카트에 담는 것처럼, 무료체험을 하러 간다는 것은 사장님 입장에서는 반은 잡은 물고기인 것 같다.

2층 계단으로 올라가니 고무매트 냄새가 훅 하고 올라왔다. 여자가 없는 거 아닌가? 하며 조심스레 들어가보니 아주머니 회원이 또 계신다. 젊은 총각들만 있을까봐 걱정을 했는데 기존 회원들이 처음보는 나를 꽤 반갑게 맞아주신다.

'오늘 체험하러 오신거에요? 운동 진짜 재미있어요~'

편하게 말 걸어주는 친숙함이 싫지 않았다.

아가씨처럼 보이던 여자분도 이야기를 나누어 보니 애기 엄마다.

'어린이집 등원시키고 와요~ 몸 만든다음 둘째 가질거에요'

동네친구가 없었던 나는 이렇게 회원들끼리 편히 지내는 분위기가 마음에 들었다. 헬스장엘 가면 혼자 헬스머신과 고군분투해야 해서 고독한 운동이되고 재미가 없었는데, 여긴 다르다.

일단 팀플이다. 2명이서 1팀을 만들어서 팀별로 기록을 잰다. 오늘 해야 할 운동을 와드(W.O.D:Workout Of the Day) 라고 부르는데 매일 운동의 조합이 달라서 지루하지 않다.

두 명이서 한 팀을 짜서 파트너가 힘들어 하면

'할 수 있어!' '화이팅! 파이팅!' 이렇게 외치는 것이 처음에 너무 오글거렸다.

'아.. 너무 오바스럽다'라고 생각하던것도 일주일 정도가 지나자

나 역시도 '아홉, 열! 오케이!' 이렇게 하고있는 것 아닌가?

고강도 운동이다 보니, 힘들 땐 소리를 지르기도하고 격려도 하다 보니 운동 후에 점심을 같이 먹고는 것도 재미있었다.

더군다나 남편 없이 육아하던 시절이라 스트레스를 바벨을 들면서 풀기도 했던 것 같다. 무거운 걸 들면서

스트레스 풀리는 것은 마치 매운 떡볶이를 고통스럽게 먹다가 접시를 다 비우고 나면 열감이 내려가면서 개운해지는 기분과 비슷했다.

그 당시에는 크로스핏이 나와 인연이 되어 재미있게 했던 운동이었지만, 지금은 체력이 예전만 못해서 다시 할 엄두가 나진 않는다. 고강도 운동을 하기엔 이미 강도 높은 육아로 체력이 남아나질 않아서 일 것이다. 출산 전에 몸에 근력이 있고 으쌰으쌰 같이 운동 하는걸 좋아하는 성향이라면 크로스핏에 도전해보길 추천한다.

비대면 스페인어 수업

EBS 세계테마기행 콜롬비아편을 보고 있었다. 스페인어를 구사하는 출연자가 너무나 유쾌해보였다. 남편도 같이 보더니 '저 여자분 되게 재미있으시다'라고 말하며 그 프로그램을 같이 웃으며 보았다. 그리고는 머리에 번뜩 든 생각이

'저 사람한테서 스페인어 배우면 진짜 재미있겠다!'였다. 스페인어는 대학생 시절 학교에서 수강한 적이 있었고 그 후에도 취미처럼 공부하던 터라 계속하고 싶은 욕망이 깔려있는 상태였다.

인터넷으로 출연자의 이름을 검색해보니 신기하게도 '숨고'라는 레슨 1:1 매칭 사이트를 통해 연락할 수 있었다.

대화내역을 다시 보니 2020.5.15.일에 첫 연락을 했었나보다. 이때 당시가 코로나 초기였고, 대면강의가 불가

능 하던 시기였기에 선생님과 다행히 시간을 맞출 수 있었다.

그때 둘째가 8개월 째였으니, 고정 시간을 확보하려면 아침시간이 되어야 시간변동 없이 수업을 할 수 있을 것 같아서 토요일 오전 7시에 시간을 정하고 줌으로 꾸준히 수업을 수강했다. 수업을 듣다보니 이왕 공부하는 김에 시험을 치면 좋겠다 싶어, DELE라는 스페인어 공인시험을 쳐야겠다고 마음먹었고, B1 레벨을 목표로 잡았다.

선생님은 아이 둘을 육아하면서도 스페인어 끈을 잡고 있는 내가 기특해 보였는지, 열심히 가르쳐 주셨고 나도 그 열정이 느껴서 선순환으로 꾸준히 할 수 있었다. 남편이 해외에 파견 가있는 동안에는 둘째가 어린이집 등원을 오전에 가기 시작해서, 강의 시간도 평일 오전으로 바꾸어 줌 수업을 유지했다.

스페인어 DELE시험은 읽기, 듣기, 쓰기, 말하기 시험으로 구성되어 있어 언어 전 영역을 대비해야하는 시험이다. 시험당일 말하기 시험에 들어가기 전까지도 선생님은 전화로 예상 질문을 던져주셨고, 선생님의 응원과

에너지가 더해져 다행이도 한 번에 시험에 합격 할 수 있었다. 2021년 7월에 스페인어 시험 DELE B1 성적을 취득하기 까지 14개월 동안 선생님과 일주일에 한번씩 30분씩 수업을 진행했고, 복직 전에는 서울에서 대면으로 처음 만나 커피도 마시며 이런저런 이야기를 나눈 귀한 인연이다.

그 후에도 선생님은 스페인어 책을 발간하시고서는 책을 집으로 보내주시며 계속 공부하길 응원해주셨다.

이때의 경험으로 배움에 있어 강사의 역량과 나와의 궁합이 잘 맞아 떨어지면 학습에 있어 시간을 아낄 수 있다는 걸 알게 되었다. 그냥 배우는 것이 아니라 정확하고 빠르게 학습할 수 있는 촉매제가 되기 때문이다. 휴직기간은 한정적이고 시간이 귀하기 때문에 무언가를 배울때에는 그냥 배우지 말고, 좋은 강사를 잘 찾아서 시간을 아껴가며 배우는 것이 중요하다고 생각한다.

제3화 세 번째 육아휴직(초1 휴직)

워킹맘 하다가 워킹데드 될 것 같아

두 번째 휴직기간동안 '무남편 15개월 육아'를 하며 심신이 지쳐있었지만 회복할 틈도 없이 복직을 했었고, 복직할 때는 직급이 올라가 있었던 터라 업무에 있어서 책임감도 상당했었다. 그때 당시 나의 머릿속은 해야 할 것이 너무 많아 생각으로 머리가 뒤죽박죽이었던 것 같다.

'아이들 아침은 뭘 해주지? 집에 우유도 없잖아? 아 참 오늘 화요일이라서 아침에 회의가 있지, 일찍 집에서 나서야겠다. 요즘 실적이 안 좋은데 방법이 없을까? 팀장님이 방법을 찾아보자고 하시는데 어느 고객님에게 컨택을 해야 할까? 점심을 먹었는데도 오늘도 소화가 안 되네, 손도 자꾸 저린데 병원 예약도 해야겠어. (유치원 모바일 알림장 띵똥) 첫째 동요 대회 날짜가 나왔네, 휴가 쓰려면 미리 휴가등록을 해야겠군. 아! 내일은

둘째 소풍을 가니 도시락을 싸야하는구나. 김밥재료랑 유부초밥은 쿠팡으로 시켜야겠어. 과일은 뭘 싸줄까?'

머리는 쉴 새가 없다. 이런 생각마저도 점심시간에야 할 여유가 있고 업무 중에는 일에 집중하느라, 쿠팡 주문하는 걸 깜박해서 봉변을 겪어야 할 때도 있다. 두 번째 복직이지만 아이 한 명과 두 명일 때는 달랐다. 나도 남편도 월급을 받는 맞벌이지만, 어린이집 알람에 대한 대응은 엄마 몫이었다.

가급적 더 이상은 육아휴직을 쓰지 않고, 회사에서 자리를 잡고 싶었다. 휴직들어가기 전의 어수선함과 복직 후에 적응하는 과정은 어쨌든 삶의 변화이기 때문에 스트레스이기 때문이다. 그리고 두 번의 휴직으로 회사에서의 자신감도 예전 같지 않았고 업무는 계속 변하는데 나는 현업을 떠나있으니 그 댓가는 고스란히 내가 극복해야할 현안이었다.

따뜻한 4월, 팔에 힘이 빠지고 손이 자꾸 저려왔다. 한의원에 가보니 소화기관이 안 좋아서 그럴 수 있다는 답변을 받기도 했고, 대형정형외과에 가서 근전도 검사도 받는 등 50만원 넘게 검사를 한 결과 팔꿈치터널증후군의 증상으로 손이 저릴 수 있다는 진단을 받기도 했다. 자는 동안 팔꿈치를 접히지 않게 도와주는 의료기기를 써보기도 했지만 영 도움이 되지 않았다.

늘 피곤했고 신경이 곤두서있었고 부정적인 생각과 짜증이 가득했다. 두 아이들이 예쁘게 자라고 있었지만, 어떤 날은 삶이 너무 벅차게 느껴지기도 했다.

"나만 힘든가? 다들 버티며 이렇게 살고 있는 건가?"
"힘들다. 쉴 틈 없이 모든 게 너무 벅차다"
"나 이러다가 심장마비라도 걸리는 건 아니겠지?"

고객을 상대하며 진을 다 빼고 퇴근하여 집에 와서는 아이들의 다음날 준비물을 챙긴 뒤 공부하자고 이야기 꺼내며 아이들의 짜증을 받아주는 것도 내가 해야 되는 일이였다.

저녁이라도 맛있는 거 먹자는 마음에 배달음식에 맥주라도 먹고 나면 살짝 기분이 좋아지다가 두 아이를 재우러 방에 들어가서는 같이 곯아 떨어져 자버리면 또 다음날이 시작되었다.

이런 사이클을 1년 반 하다 보니 몸도 마음도 건강하지 않았던 것 같다. 게다가 아이들을 봐주시는 친정엄마도 힘드셨는지 면역력 약화로 대상포진에 걸리시고 나도 손 저림 증상이 낫질 않아서 세 번째 휴직을 써야겠다고 마음을 먹었다. 그렇게 첫째아이가 1학년 여름방학이 되던 7월에 세 번 째 육아휴직이 시작되었다.

육아휴직을 경제적 관점으로 보면, 나는 소득을 잃게 되고, 친정엄마도 아이들을 돌봐주시지 않기에 비자발적으로 무소득자가 된다. 대신에 시간을 선택했으니, 이 시간을 어떻게 활용할 지는 나에게 달려있다. 1차적으로는 아이들과 함께하는 시간이 많아지고, 2차적으로는 혼자 있는 시간동안은 나를 마주하는 시간이 많아질 것이라고 생각했다.

휴직 발령일은 공교롭게도 첫째아이가 방학식을 하는 날이었다. 워킹맘이 못해주는 것을 해주려고 첫째 여름 방학기간 동안에는 빙상장에 가서 스케이트도 가르쳐주고, 주말에는 수영장에도 라이딩을 하며 첫째랑 부지런히 다녔다. 그렇게 방학동안 진득하게 붙어 있다가 9월 개학이 시작되고 엄마의 육아(育我)를 위한 시간이 마련되었다.

남산동 호랑이 친구들

남산동에 이사와서 친해진 3명의 동갑내기 친구들이 있다. K는 극단에서 아동극 관련 일을 하고 있으며, M은 플라워리스트였다가 남편이 타지로 발령이 나면서 일은 잠시 쉬며 아이 둘을 키우고 있고 J는 공직에 몸담고 있는 워킹맘이다. 우리끼리 자칭하기를 '남산동호랭이'라고 이름 지었는데, 공통점이 참 많은 친구들이고 동네에 이렇게 좋은 친구들이 있다는 것에 감사하다.

우리의 공통점은 아이가 둘씩 있으며 첫째들이 동갑이다. 그리고 엄마의 나이가 86년생 호랑이띠로 같다.

일을 하는 워킹맘은 동네에서 친구들 사귀기가 쉽지 않다. 놀이터에서 친해질 기회도 적으며 관계를 지속하기도 어렵기에 나도 동네친구는 없이 지냈었다. 아이들이 놀이터에 놀 때 엄마는 쭈뼛쭈뼛 서있어야 하는 어색함이란...

그러던 어느 날 고등학교 같은 반 동창이었던 K를 아파트 놀이터에서 만났는데, K의 아들과 나의 첫째가 같은 어린이집에 다닌다고 한다. 이런 우연이! 그리고 알고 보니 첫째가 어린이집에서 좋아한다던 남자아이가 K의 아들이었다. 그렇게 K는 나의 동네친구 1호가 되었고, K는 놀이터에서 J라는 친구를 소개해주고, J는 M을 소개해줘서 4명이서 치맥자리를 갖게 되었다.

이 친구들은 만나서 이야기를 나누다 보면
'내가 갖고 있는 고민들이 나만의 문제가 아니 구나' 라는 위안을 받으며 둘 아이를 최선을 다해 기르려고 애쓰는 우리자신들을 다독거리면서 에너지 충전이 되었다. 예전에 나보다 먼저 결혼하여 아이 둘을 낳은 회사 동기가 복직을 하면서 이런 말을 했던 적이 있었다.

"나는 휴직기간동안 동네친구를 만드는 게 목표야"

그때는 결혼 전이라 동네 친구가 그 정도로 필요한 건지 속으로 의아하기도 했었다.

동네친구가 있으면 일상에 활력소가 되기도 하고, 몰랐던 정보도 공유할 수 있어서 장점이 많다. 단, 성향이 맞지 않으면 오히려 에너지가 소모될 수 도 있으니 좋은 친구를 만나는 것도 복이라고 생각한다.

작년에는 휴직기념으로 호랑이 친구들과 2박 3일 교토여행에도 다녀왔다. 자전거로 교토 시내를 돌아보며 유명관광지 '니조성'에 가보기로 했는데 입장료가 만원이나 되었다. 아줌마들은 만장일치로 니조성은 패스하고 대신 그 맞은편에 있는 식당으로 이동해 입에서 살살 녹는 타마고산도(계란샌드위치)나 먹자고 결론을 내렸다. 찾아간 식당은 교토 맛집인지 웨이팅을 30분 넘게 했는데, 손재주가 좋은 M은 기다리는 동안 니조성을 배경으로 한 사진에 자전거를 타고 있는 우리의 단체사진을 합성한 뒤 휴대폰을 나에게 내밀었다. '진짜 니조성'이 보이는 식당 창가 자리에 앉아 그 합성사진을 보며 얼마나 웃었던지, M은 아직도 가끔씩 자전거를 타는 단체사진에 온갖 배경을 합성하여 단체 대화방에 올린다. 잊을 만 하면 또 웃음거리를 던져주니 함께한 추억이 깃든 즐거움이다.

휴대폰에 발도 달아주는 아이 둘 엄마

"전화기가 또 어디 있지?"

매일 전화기를 찾는 내 자신, 아이 둘을 낳았더니 뇌도 낳아 보내고, 휴대폰에 발도 달아주었다. 스마트 워치의 기능은 내 휴대폰 찾기가 주요하게 쓰인다. 이럴 때 마다 머리를 쥐어뜯는다.

곰곰이 생각해보면 휴대폰을 들고 있다가
"엄마 머리 묶어줘"하면 화장대 옆에 휴대폰을 두고

거실을 지나가다가
"엄마 똥 닦아줘!"하면 화장실에 휴대폰을 두고

소파에서 휴대폰을 보다가
"엄마! 딸기 씻어줘!"하면 주방에 휴대폰을 두고

두 아이의 요청에 따라 내 휴대폰은 여기 갔다 저기 갔다 한다. 이 정도면 휴대폰에 발이 달릴 만도 하다.

식탐과의 싸움

사회생활을 하며 정해진 시간에 점심을 먹는 것과는 달리, 휴직이 시작되면 시간이 자유로워지고, 그러다 보니 점심시간이라고 정해진 때가 없어 수시로 먹게 된다.

아이가 아침에 먹다 남은 밥 한입
남편 아침식사로 썰어 준 사과가 남으면 그것도 한입
라면에 계란 넣어 끓인 뒤 김치 올려 점심식사
입이 심심하면 과자도 먹고 달달한 커피도 마시고

육아하다가 힘들어서 입맛이 없다는 사람도 있는데, 나는 입맛이 없어져 본 적이 없다. 오히려 그 반대이다.
내가 먹고싶은 것을 먹는다는 것은 나의 욕구를 가장 적확하게 충족 시켜주는 것이 아닐까?
'나 프랑스로 여행가고 싶어'라는 욕구는 즉시 충족되지 않는다. 시간과 돈이 충분히 있어야 하고 같이 갈

동행도 있어야 하고, 그 욕망을 채우려면 여러 가지가 맞아 떨어졌을 때 가능하다. 그러나 먹는다는 것은 내가 먹고 싶은 그 음식을 바로 딱! 먹어주면 된다. 그래서 스트레스 받을 때 먹는 것으로 푼다는 것이 가장 즉각적이고 적은 노력으로 내 욕구를 채우는 행위라고 생각한다. 더군다나 요즘은 배달앱으로 얼마나 쉽게

'지금 당장 내가 원하는 걸 집에서 먹기!'가 시현되는 세상인가?

그렇게 시도 때도 없이 먹다가는 살이 찌고, 살이 찌면 기분이 안 좋고, 기분이 안 좋으면 감정적인 엄마가 되기도 한다. 그래서 휴직중인 엄마는 운동을 해야 한다고 생각한다. 그냥 시간될 때 하는 게 아니라 '돈을 내고'하는 운동을 등록하길 추천한다. 그래야 매몰비용 아까워서라도 그 운동시설에 가기 때문이다.

새벽요가는 운동인가 수련인가

20대 시절 친구랑 같이 요가원에 등록 했다가 두어 번 가고 그만 갔던 기억이 있다. 그리고 임신해서는 산부인과에서 진행하는 임산부 요가를 출산 전에 한 달간 다닌 적이 있다. 그래서 요가는 나에게 '그저 스트레칭'이라는 인식이 있었다.

그러던 중 11월에 발리로 가족여행을 갔었다. 무급휴직이었기에 10년 넘게 모아둔 마일리지 항공권을 이용해 발리에 갔다. 발리하면 요가의 성지가 아닌가? 마음 같아서는 요가원에서 요가수업을 수강 해보고 싶었지만 아이랑 함께하니 그것도 일정상 쉽지가 않아 호텔에서 제공하는 요가 프로그램을 아침시간에 참석 했다.

지붕이 있는 야외에서 요가지도자의 동작을 따라 하다 보니 땀이 뻘뻘난다. 수업 도중 소나기가 억수같이 내렸다. 요가 수업이 끝나니 기분이 엄청 상쾌해 지면서 좋아졌다. 흙탕물 같았던 내 마음과 머리가 깨끗한

물이 된 것처럼 정화되는 기분이 들었다. 이 기분은 뭘까? 요가에는 기묘한 힘이 있는 것만 같았다.

그 뒤로 한 달이 지나 집 근처에 있는 요가원을 찾아가봤다. 발레와 크로스핏의 체험수험처럼 선체험-후등록이 동반되었다. 첫째아이의 방학이 다가오고 있어 오전에는 시간이 안 될 것 같아서 새벽 6시 40분에 주3회 수업으로 시작했다.

처음 한 달간은 이른 시간에 몸을 움직이는 것 자체가 적응이 안 되는지 요가 동작을 하는데 식은땀이 나기도 하고 몸이 더 찌뿌둥했다. 그렇게 적응의 시간이 지나자 손 저림 증상은 차츰 나아지고 있었다.

나는 종교가 없지만 요가와 결합된 종교가 있으면 아마 그 종교를 다니지 않았을까? 싶을 정도로 요가를 좋아하기 시작했다. 새벽요가의 선순환은 대단했다. 요가를 가기위해 일찍 잠들었고, 일찍 잠들기 위해서 술과 야식을 줄이고 저녁은 아이들과 일찍 먹었다. 아이들과 나는 이른 취침에 들어가고 술을 좋아하는 남편만 홀로 유튜브를 보면 혼술을 하는 시간이 늘어갔다.

육체적으로는 혈액순환이 잘 되는지 몸의 컨디션이 좋아 졌고, 새벽요가를 다녀오면 '오늘 해야 할 일중에 하나를 성공했다'는 좋은 기분이 들어 정신적으로도 유익했다. 3월에는 아이의 개학에 맞추어 새벽 6시에 수업이 있는 다른 요가원으로 바꾸어 수련을 이어나갔다.

나는 알고 있다. 휴직이 끝나면 새벽요가를 지속하기 어려울 것이라는 것을, 그걸 알기 때문에 새벽요가에 진심이고 결석하지 않고 수련하려고 노력을 했다. 요가는 휴직기간을 더 감사하고 귀하게 여기게 해주었다.

오전 9시, 둘째의 등원을 완료하고 설거지를 한 뒤 깨끗이 샤워하고 커피를 마시며, 육아휴직이 남은 D-day상 날짜를 보며 오늘 하루는 어떻게 보낼지 일기장에 적었던 지난날들... 하와이의 와이키키 해변에 누워있을 때보다 더 행복했던 일상의 순간이었다.

엄마도 시간표가 필요해

초1 휴직기에는 상대적으로 기존 출산 때 사용한 휴직보다는 시간적 여유가 있다고 할 수 있다. 그래서 이 시기는 어떻게 보내느냐에 따라 하루하루가 달라 질 수 있는데 처음에는 나도 좀 쉬어볼까라는 생각으로 집에서 쉬면서 책도 읽고, 넷플릭스도 보면서 조금은 빈둥거리며 시간을 보냈지만 시간이 아깝다는 생각이 들었다.

엄마에게도 시간표가 필요하다. 초등학생이 하교 후 학원 시간표를 짜듯 엄마에게도 평일 시간표가 필요하다.

나는 **'그것을 그 시간에 거기서 한다'**를 늘 마음속에 다짐한다. 그래야 계획한 것을 할 수 있다. 계획한 것을 안 한다고 해서 누구도 나에게 뭐라고 하는 이가 없기 때문에 내가 스스로 피드백을 해야 된다. 그렇게 하려면 계획한 것을 지키려고 노력하고, 허비하는 시간 없도록 시간표를 짜야한다.

그리고 중요한 것은, 매일 아침 오늘 해야 할 일을 일기장이나 메모장에 쭉 적으면서 스스로 파이팅을 외친 뒤 오늘의 일과를 눈을 감고 쭉 그려본다.

오늘 하루 중에 내가 운동을 하는 모습을 상상하고, 아이들과 도서관에 가는 일정을 상상하고, 저녁은 무엇을 먹을지 까지 머리에 그린다. 3분이면 충분하다. 아침에 이렇게만 해도 하루를 더 알차게 보낼 수 있다.

다음은 켈리최의 '웰싱킹'에 나오는 아침시각화와 관련된 내용이다.

'아침시각화는 잠에서 깨어 눈을 뜨자마자 실시하는 시각화다. 오늘 하루를 가장 이상적으로 보내기위해 첫 단추를 꿰는 일이라고 생각하면 쉽게 이해할 수 있을 것이다.

아침에는 눈을 뜨자마자 오늘이 가장 이상적으로 흘렀을 때의 내 모습을 상상한다. (중략) 아침시각화는 오늘 하루를 미리 살아보는 일이다. 이 시각화는 오늘당장 해야 하는 일의 우선순위를 정하는데 도움이 된다.'

이런 아침시각화를 사업을 하는 CEO가 하는 것에 한정짓지 말고, 엄마들도 주어진 오늘 하루를 풍성하고 유익하게 보낼 때에도 적응할 수 있다. 더 나아가 아이들에게 이런 방법을 알려준다면 성인이 되었을 때 더욱 충만한 삶을 살 수 있을 것이라고 생각한다.

독서모임:알음

둘째 휴직 때, 도서관에서 진행하는 동화쓰기 수업을 수강했었다. ZOOM이라는 방식이 어색했지만 그때는 대면이 위험했기에, 줌으로 하는 교육이 익숙해지는 추세였다.

동화 작가님이 과제를 내주시면 필사를 하기도 하고, 각자의 짧은 동화 글도 지어보는 수업이었다. 그렇게 2달여의 수업이 끝나니 12명으로 시작된 수강생중에 4명만이 고정 멤버로 남아 있었다.

수업은 끝났지만 인연은 계속하고 싶은 마음이 통했는지 우리는 자발적으로 독서모임을 하자고 의견을 모았고, 네이버 밴드를 개설하고 우리 모임명을 [알음's]라고 작명했다. 4명이서 돌아가며 주제를 정하면 따라가는 식으로 매달 주제는 바뀌지만 책과 연관된 내용으로 현재까지도 이어나가고 있다. 일을 하고 있을 땐 줌으로 밤10시가 되어 비대면으로 만나거나, 가끔은 내가 일하는 사무실 근처 카페로 장소를 정해 점심시간을 이용해 모임을 갖기도 했다. 도서관 수업으로 시작된 이 인연이 세 번째 휴직기까지 유지될 줄 처음엔 상상이나 했을까? 휴직기간엔 평일 오전에 만나 여유롭게 이야기를 나눌 수 있었다. 각자 적어온 글을 낭독하기도 하고, 좋은 글귀나 아이들에게 도움이 되는 책을 공유했다.

책이라는 공통사로 모여 자신의 생각을 나누며 수평적으로 이야기 할 수 있는 점이 참 좋았다. 휴직기간에는 늘어난 자유시간 만큼 자칫 따분해 질 수도 있지만 정기적인 만남을 가질 수 있는 이러한 소모임이 있다는 점이 휴직시간을 더욱 풍성하게 해주었다.

배움도 습관

휴직기간을 헛되이 보내지 않겠다는 마음에 평소에 배워보고 싶었던 것들에 발을 담구어 보았다.

::떡 수업

아이들에게 직접 만든 떡을 먹이겠다는 당찬 포부로 지역 여성회관에서 진행하는 떡 수업을 8주간 수강했다. 만들기 가장 쉬운 떡은 '술떡'인데, 보리떡 믹스에 막걸리와 우유를 넣어 찌면 끝이다. 다행이도 아이들은 술떡을 좋아해서 반죽을 같이 만들어 찜기에 찐 다음 식혀서 냉동실에 보관해 두면 간식으로 안성맞춤이다.

::수영

일반 수영장에서 접영을 배우고 싶었으나, 수강 추첨 당첨이 누락되어 홧김에 1:1수업을 찾아 봤다. 그런데 그 수영장이 다음 달에는 공사예정으로 4번만 수업이 가능하다고 했다. 4번 수업으로 접영 맛보기를 해봤는데 재미있으면서도 어려웠다. 아이들도 수영장에 등록하여 접영까지 하는 걸 꼭 보고 싶다. 복직 후에도 아이들과 토요일에 수영장에 같이 다닐 예정이다.

::도예

도서관에서 진행하는 도예수업이 있어 기초반과 물레반을 수강해보았다. 흙을 만지는 것이 재미있었고 만든 것을 구워 실생활에 쓸 수 있는 점도 뿌듯했다. 내가 관심이 있으니 아이들도 도예체험 기회가 있을 때 마다 참여하여 집에는 아이들이 만든 연필꽂이, 접시가 구워져 있다.

…작은 에필로그…

배우는 걸 유난히 좋아하는 저는 스스로도 그 이유가 궁금했는데요. 이 에세이를 쓰며 해답을 찾아냈습니다. 제가 중학생이던 때, 엄마는 야학으로 검정고시를 치르시고 대학교에 늦깎이로 입학하셨고, 저는 배우는 엄마의 모습을 보고 자랐더군요. 이 책을 빌려 엄마에게 감사하다는 말을 전합니다.

육아휴직, 세 번 해봤어요

발 행 | 2024년 05월 30일
저 자 | 란마
펴낸이 | 한건희
펴낸곳 | 주식회사 부크크
출판사등록 | 2014.07.15.(제2014-16호)
주 소 | 서울특별시 금천구 가산디지털1로 119 SK트윈타워 A동 305호
전 화 | 1670-8316
이메일 | info@bookk.co.kr

ISBN | 979-11-410-8536-0

www.bookk.co.kr